KV-032-683

Приключения цветочных фей

Иллюстрации Соны Адалян

Услышала и пересказала И. Котовская

Москва
2015

УДК 821.161.1-34-053.2
ББК 84(2Рос=Рус)6-44
П75

Приключения цветочных фей / пересказ И. Котовской ; ил. Сони
П75 Адалян. – Москва : Эксмо, 2015. – 88 с. : ил.

УДК 821.161.1-34-053.2
ББК 84(2Рос=Рус)6-44

ISBN 978-5-699-77838-6

ПРЕДИСЛОВИЕ

Далеко-далеко, на самом краю земли, есть Волшебная страна. Люди знают о ней только понаслышке, потому что никому ещё не удавалось побывать там. Это страна фей и эльфов, а, как известно, крохотные существа всегда свято хранят свои секреты.

Расположена Волшебная страна в прекрасной долине, окружённой высокими горами, шумными водопадами и дремучими лесами. А сколько там прекрасных цветов! Можно сказать, что вся страна — это поистине один цветущий сад.

Правит Волшебной страной фея природы, которой уже много тысяч лет. Однако, как и все феи, она всегда молода и прекрасна.

Знаете, по внешнему виду трудно определить возраст феи — они все выглядят одинаково молодо, за исключением только что появившихся на свет. Возраст фей определяется не количеством прожитых лет, а их мудростью и большим жизненным опытом.

Так вот, фея природы — самая мудрая из всех, самая справедливая и самая добрая. А сколько ей приходится работать! Едва забрезжит рассвет, она уже на ногах, уже смотрит в своё волшебное зеркало, чтобы убедиться, что в каждом уголке Волшебной страны полный порядок. Все ли феи и эльфы добросовестно ухаживают за подопечными растениями? Все ли они здоровы и счастливы? И если что-то не так, фея природы садится на радугу или облако и опускается именно в том месте, где особенно нужна её помощь.

Вот и сегодня утром, едва поднявшись со своей постели, фея природы подошла к волшебному зеркалу и собралась заняться осмотром своих обширных владений.

Внезапно её внимание привлёк звук дверного колокольчика. Открыв дверь, фея природы с радостью увидела свою подругу — фею радуги. Отряхнув платье от дождевых капель, та произнесла:

— Идёт сильный дождь. Фея дождя решила сегодня напоить влагой все растения, поэтому мне сейчас нечем заняться. Вот я и надумала навестить тебя. Давно хотела попросить: покажи мне твоё волшебное зеркало! О нём

много говорят в нашей Волшебной стране, только вот никто никогда его не видел. Сделаешь исключение для меня?

— Хорошо! — засмеялась фея природы. — Так и быть, покажу тебе кое-что из жизни фей цветов. Моё волшебное зеркало расскажет тебе о маленьких приключениях из их жизни. Хочешь?

— Конечно, хочу! — с неподдельным восторгом воскликнула фея радуги.

И две подруги удобно устроились около волшебного зеркала...

Феи луговых цветов

— Сначала, — сказала фея природы, — на свет появились дикие цветы: полевые, луговые, лесные и горные. Они были куда скромнее нынешних садовых цветов. Это цветочные феи так постарались, ухаживая за цветами, что они пышно расцвели и стали жить в садах под постоянной опекой фей-садовниц.

Однако многие невзрачные дикие цветы гораздо милее капризных садовых неженок. Признаюсь, что мне они даже больше нравятся, но... Я не могу иметь любимчиков, я должна одинаково хорошо относиться ко всем!

Так давай же сначала посмотрим, какие истории про фей луговых цветов расскажет нам моё волшебное зеркало...

Зеркало замерцало, заискрилось, и раздался тихий мелодичный голос:

— Добро пожаловать в царство луговых фей!

ФЕЯ ПОДСНЕЖНИКА

Известно, что цветочные феи любят поспать в холодное время года. Но на этот раз фея подснежника неожиданно проснулась — её разбудила капля воды, упавшая на нос.

— Я проснулась первой! — подумала она вслух. — Наверное, снег наверху растаял. А это значит, что пришла весна! Ура!

И фея подснежника, быстро соскочив со своей постельки, стала проталкиваться наверх.

О, как же малышка была разочарована, когда увидела, что весна ещё не пришла. Повсюду по-прежнему лежал снег, и дул холодный ветер. Фея поёжилась, решив вернуться к себе, но вдруг услышала смех. Это смеялся солнечный луч.

— Как ты думаешь, весна скоро появится здесь? — спросила фея подснежника.

— Она придёт совсем скоро, потерпи чуть-чуть, — ответил солнечный луч и побежал дальше.

Но как только он убежал, вернулся холод. А вскоре и вовсе пошёл снег.

— Нет, всё-таки придётся вернуться домой, — вздохнула фея. — Но мне так хочется первой увидеть весну!

Однако ей пришлось проявить немало терпения, дожидаясь весны. И фея была вознаграждена: весна пришла! Легко, словно бабочка, весна порхала над ещё нерастаявшим снегом, ослепляя всех своим блеском и дивными запахами. Ах, как она была прелестна!

Когда весна увидела цветы подснежника, отважно распустившиеся на снегу, и маленькую фею,

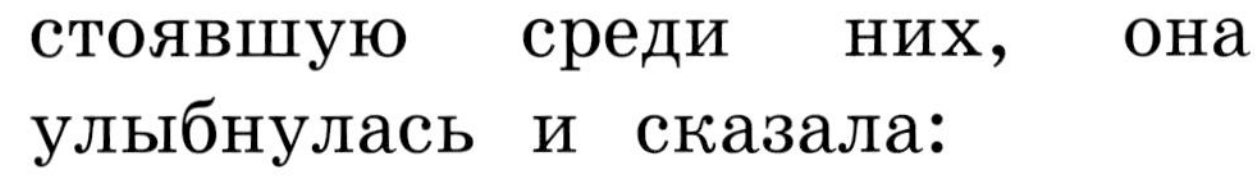

стоявшую среди них, она улыбнулась и сказала:

— Какой нарядный маленький цветок и какая прелестная крошка фея! Отныне ты станешь моим посланником. Я подарю тебе весенние колокольчики, чтобы ты могла позвать меня ранней весной. Я приду, и мы вместе сможем прогнать зиму прочь. Договорились?

Фея подснежника кивнула и приняла из рук весны серебряные колокольчики.

С тех пор фея подснежника со своими весенними колокольчиками и маленькими цветами просыпается раньше всех, чтобы позвать красавицу весну.

ФЕЯ ПАПОРОТНИКА

Знаете, почему мох такой мягкий и красивый, особенно когда на нём появляются крошечные белые цветочки? Потому что за ним приглядывает фея папоротника и её помощники эльфы. Ростом эльфы не выше опёнка. Одежда на них цвета мха, а ботиночки сделаны из желудей. Живут они в норках глубоко под землёй. Их крошечные, но очень-очень уютные круглые домики тоже сделаны из мха. Среди этих домиков стоит ткацкий станок, на котором эльфы под присмотром феи папоротника целыми днями ткут красивый мох.

Выткав ковёр, эльфы вышивают на нём мелкие беленькие цветочки. Вышивают они невероятно тонкими нитками, сделанными из паутины, и делают своё дело с огромной любовью и присущим им бесконечным терпением.

Когда эльфы заканчивают достаточно большой кусок мохового ковра, они с помощью феи папоротника аккуратно скатывают его в рулон и выносят на поверхность земли.

Эльфы стараются изо всех сил, укладывая моховой ковёр так, чтобы он обязательно находился там, где всегда сыро и много тени. Солнце здесь почти не показывается. Эльфы знают, что мох не слишком любит солнце: ведь оно возьмёт да и высушит ковёр.

Уложить ковёр из мха нужно на камнях и старых пнях, под деревьями и, конечно, на земле по всему лесу.

Крошки эльфы, полюбовавшись на плоды своего труда, чувствуют себя счастливыми и снова возвращаются к своей нелёгкой и кропотливой работе. Они вновь принимаются ткать из мха новые,

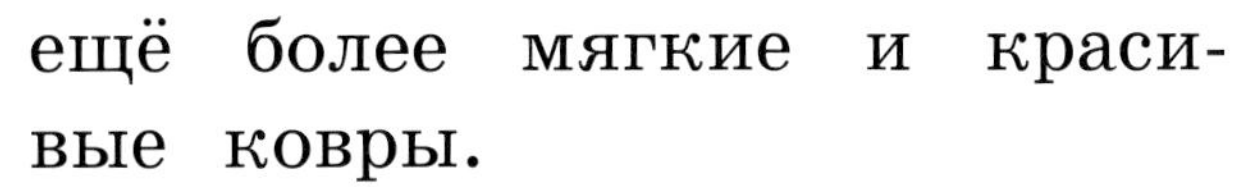

ещё более мягкие и красивые ковры.

А пока они трудятся не покладая рук, фея папоротника сажает в мох свои папоротники. Папоротники тоже очень любят моховые ковры и прекрасно растут только на них.

Получается, что фея папоротника — самая большая труженица. Она всегда добросовестно ухаживает и за папоротниками, и за моховым ковром.

— Когда хорошо делаешь своё дело, всем от этого радостно, — любит говорить эльфам фея папоротника.

ФЕЯ ПРОЛЕСКИ

Фея пролески никак не могла уснуть. А всё потому, что ей не удавалось придумать подарок ко дню рождения своего друга Флина — лесного гнома. На следующий день ему должно было исполниться целых двести лет! А это значит, что подарок должен быть необыкновенным.

Вдруг рядом с феей пролески появилась красивая женщина:

— Я, фея желаний, провожу тебя в Страну желаний. Там ты сможешь выбрать подарок.

— Замечательно, — воскликнула фея пролески и полетела вместе с феей желаний.

В Стране желаний было много красивых вещей: волшебная палочка, флейта из леденцовой карамели, шарманка из грибов... Подарков было так много, что наша фея растерялась.

А тут и утро наступило. Страна желаний медленно растаяла в лучах восходящего солнца. И фее пролески пришлось возвращаться к себе домой ни с чем.

— Почему бы мне не сделать что-то своими руками? Ведь это всегда самый лучший подарок, — успокоила себя фея пролески. — И я уже знаю, что сделаю!

Она отправилась домой и сразу принялась за работу. Фея сорвала большой и маленький колокольчики пролески, аккуратно прикрепила их к стеблю, принарядилась и полетела к домику гнома. Гном Флин как раз ставил огромный торт на стол в своём маленьком садике.

— Привет! — обрадовался Флин. — Добро пожаловать, моя первая гостья!

— Я прилетела поздравить тебя, мой милый друг! — ответила фея. — И хочу тебе кое-что подарить в день твоего рождения!

Она легко постучала по колокольчикам своей золотой шпилькой. Маленький колокольчик издал высокий звук, а большой колокольчик — более низкий. Это было так красиво!

Флин был просто счастлив и запрыгал от радости. Подарок, который фея пролески сделала своими руками, хранил частичку её тепла. А такой подарок всегда самый лучший...

ФЕЯ ЛУГОВОГО КЛЕВЕРА

Фея лугового клевера уже укладывалась спать, когда услышала вдали нежные, чарующие звуки скрипки...

— Ах, — подумала она, — кто же так красиво играет на скрипке?

Она огляделась по сторонам в поисках музыканта, но никого не увидела. И тут скрипка неожиданно замолчала.

— Какая жалость! — грустно вздохнула фея и улеглась спать.

На следующее утро фея клевера проснулась совсем рано. Рядом с ней на цветке сидел милый маленький сверчок и с любопытством смотрел на неё. Фея спросила сверчка: не слышал ли он прекрасную игру скрипки накануне вечером?

Но прежде, чем тот успел что-либо ответить, фея мечтательно произнесла:

— Ты знаешь, милый сверчок, я почти уверена, что так замечательно мог играть только принц. Принц эльфов!

— О, я не уверен, что принц эльфов вообще существует, — проворчал сверчок и скрылся.

Фея едва смогла дождаться наступления вечера. Солнце уже садилось, и она, к своей огромной радости, снова услышала прекрасную музыку скрипки. Тогда она, не сомневаясь, что увидит принца эльфов, полетела туда, откуда звучала музыка.

Подлетев поближе, фея увидела скрипача. Он сидел на травинке, но не играл на скрипке — волшебные ноты издавали его задние ножки. И это был сверчок, обычный сверчок!

— Ах, это ты, — разочарованно воскликнула маленькая фея клевера.

— Да, боюсь, я совсем не принц эльфов. Но играю-то я очень хорошо! Тебе не кажется? — улыбнулся сверчок, весело посмотрев на фею клевера. Та рассмеялась и сказала:

— Не могу не согласиться с тобой! Ты великолепно играешь!

И фея села рядом со сверчком, который играл теперь только для неё. Правда, мило?

ФЕЯ КОЛОКОЛЬЧИКА

Фея колокольчика не отличалась осторожностью и вела себя как настоящий сорванец. Она любила забираться на самый верх стебля колокольчика, а потом съезжала по нему, как с горки. Поэтому она вечно ходила с ободранными коленками и в разорванном платье. И как ни выговаривала ей королева цветов, фея колокольчика лишь отмахивалась. Но однажды...

Наша маленькая фея играла в прятки с гусеницей. Заметив, что та спряталась за цветком, фея, не раздумывая, проделала отверстие в листе и сунула туда голову.

— А теперь ты ищи меня! — закричала фея.

— Хорошо! Считаю до десяти, — сказала гусеница и стала считать.

Но что это? Маленькая фея хотела спрятаться, однако не смогла сдвинуться с места. Её голова застряла в листе! Фея изо всех сил старалась вытащить голову из дырки в листе, но все её усилия были напрасными.

— Помоги! Я застряла! — завопила фея.

Испуганная гусеница подползла к малышке.

— Какой ужас! Подожди минуту! Сейчас я съем лист и освобожу тебя. Стой смирно, иначе я могу откусить тебе ухо, — сказала гусеница и принялась за работу.

Маленькая фея замерла. И это было просто невыносимо для такого сорванца!

Когда наконец лист был съеден, фея освободилась и заметила, что гусеница заметно потолстела. Поблагодарив свою спасительницу, фея уселась на цветок. Ей нужно было прийти в себя.

И тут появилась всевидящая королева цветов. Увидев притихшую малышку, королева сказала:

— Всё хорошо, что хорошо кончается. Знаешь, что теперь тебе надо сделать? Надевай на голову свой колокольчик вместо шлема. Глядишь и убережёшь свою голову от шишек.

С тех пор маленькая фея всегда носит на голове колокольчик. Правда, после пережитого она стала немного осторожнее. Что ж, хорошо, если умеешь делать выводы из своих ошибок!

ФЕЯ КУВШИНКИ

В лесу был небольшой пруд, который с удовольствием навещали лягушки. В один из тёплых дней там появилась и наша лягушка.

— Ля-ля-ква-ква, — громко распевала она, весело перепрыгивая с одного листа на другой.

Вдруг она обнаружила удивительно красивый бутон кувшинки. Цветок ещё не распустился, но лягушка уже знала, что он будет прекрасным.

— Ква? — лягушка вопросительно постучала лапкой по бутону. В тот же миг бутон приоткрылся, и из него высунулась крохотная ручка.

— Ты кто? А ну-ка, выходи! — заволновалась наша лягушка.

Хлоп! Ручка исчезла, и цветок снова закрылся.

— Жаль, — вздохнула лягушка. — Кто же это мог быть? Чья же это ручонка? Не успокоюсь, пока не узнаю!

С этими словами лягушка плюхнулась в воду. Подплыв к камышам, она сорвала стебель и вернулась с ним к кувшинке.

Усевшись на лист, наша лягушка принялась наигрывать на камышовом стебле, как на дудочке. Но ни один лепесток не шелохнулся.

Лягушка задумалась: как бы выманить из бутона того, чью ручку она видела?

Подплыв к берегу, она подобрала два камушка и стала постукивать одним камнем о другой. Никакого результата!

— Придётся мне пощекотать кувшинку травинкой, чтобы она раскрылась, — решила лягушка и взялась за дело.

Внутри бутона кто-то тоненько засмеялся, однако бутон так и не раскрылся. Как тут не рассердиться?! Надувшись, лягушка плюхнулась в воду.

Посидев в воде, она придумала новую хитрость. Обвязав шею листом, как шарфом, лягушка уселась рядом с бутоном и принялась стонать:

— Ох, как мне больно! У меня распухло горло. Как же я страдаю!

Её расчёт оказался верен. Лепестки бутона медленно раскрылись, и из него вышла прекрасная фея кувшинки. Она сочувственно посмотрела на лягушку и, наклонившись, дотронулась до лягушачьего носа пальчиком.

— Ква, — прошептала лягушка и шлёпнулась в воду. Фея засмеялась. Она поняла, что лягушка перехитрила её, но нисколько не рассердилась. Ведь лягушкам свойственно совать нос повсюду!

Запомните! Если вам вдруг доведётся увидеть обвязанную шарфом лягушку, то знай, что эта притворщица придумала какую-нибудь новую хитрость. Не доверяй ей никогда!

ФЕЯ ЭДЕЛЬВЕЙСА

Фея гор праздновала свой юбилей: ей исполнялось, подумать только, пятьсот лет! Но годы, как известно, не властны над феями. Они всегда молоды и прекрасны.

Все готовились к этому событию: и скалы, и водопад, и высокие сосны, и низкорослые колючие кустарники, и, конечно, цветы.

— Мы подарим фее гор новый трон из драгоценного камня, — решили скалы.

— А мы, — прошелестели ветвями сосны, — достанем с неба звёзды для её короны!

— Я украшу эту корону горным хрусталём, отполированным моей водой! — пророкотал водопад.

— И у нас уже готов подарок королеве! — закричали колючие кусты. — Мы сшили для неё роскошное зелёное платье из мха. Надев это платье, фея гор станет ещё прекраснее!

И тут все вдруг обратили своё внимание на примолкших цветочных фей, которые стояли в сторонке ото всех.

— А вы-то что молчите! Что вы подарите фее гор?

Феи смущённо переглянулись между собой, но опять промолчали.

Что они могли подарить? Свои цветы? Но это невозможно: ведь высоко в горах холодно, и цветы замёрзнут. Ах, как неловко получается!

Вдруг одна самая маленькая цветочная фея шагнула вперёд и пропищала:

— Я могу пойти и поздравить фею гор с её днём рождения от всех цветочных фей!

— Ты? — заволновались остальные цветочные феи. — Ты же самая маленькая из нас. Ты замёрзнешь, даже не добравшись до феи гор. Пожалуйста, не ходи в горы! Ты наверняка погибнешь!

Однако маленькая фея не послушалась и тут же отправилась в путь.

Её путь лежал к замку, стоящему на самой высокой вершине. Именно там жила фея гор.

Чем выше взбиралась наша малютка фея, тем холоднее становилось. Но она бесстрашно преодолевала глубокие снега и скользкие ледники, карабкаясь вверх по отвесным скалам.

Этот путь был труден и опасен, но смелая малышка достигла цели. Чуть живая от холода, она предстала перед прекрасной феей гор, восседавшей на роскошном каменном троне, украшенном сверкающим горным хрусталём. Фея была одета в великолепное зелёное платье из мха, а в её короне сияли звёзды. Это были подарки её друзей.

Увидев полуживую от холода крошку, фея гор протянула руку. Маленькая фея преподнесла ей букетик крошечных белых цветов и произнесла дрожащим от холода голоском:

— С д-днём р-рождения, д-дорогая ф-фея гор!

— Большое спасибо, малышка фея! Твои цветы прекрасны! В награду за смелость можешь остаться со мной навсегда. Хочешь?

Конечно, маленькая фея с радостью согласилась. Фея гор тотчас же накинула ей на плечи тёплое пальтишко. Ещё малютка получила в подарок белое шерстяное платье, прочные белые сапожки и белые рукавички. Теперь ей не был страшен никакой мороз.

Фея гор полюбила храбрую малышку и назвала её феей эдельвейса.

С тех пор небольшой белоснежный цветок эдельвейс, оберегаемый маленькой феей, цветёт только высоко в горах. И лишь отважные смельчаки, которые не боятся покорять горные вершины, могут полюбоваться на его скромную красоту.

ФЕЯ ОДУВАНЧИКА

— Итак, мои жёлтые цветы становятся белыми пушистыми шариками! А это значит, что в них созревают семена, которые прорастут будущей весной, — размышляла вслух фея одуванчика.

Но когда она пришла на свой луг, то потеряла дар речи от удивления.

— Ой, как же много белых головок! — воскликнула она. — Надо поторопиться посеять все семена, потому что они перезреют!

Фее предстояло посеять семена сегодня — иначе новые одуванчики не вырастут. Она решила собирать семена и развеивать их на соседних лугах.

Так фея и поступила. Она собирала семена на одном лугу, разбрасывала на другом, вновь собирала и вновь разбрасывала...

Через несколько часов работы фея так устала, что едва могла шевелить крылышками. А головки одуванчиков появлялись на лугу одна за другой снова и снова. Фею одуванчика охватило отчаяние. Она закрыла лицо руками и разрыдалась.

Вдруг она почувствовала дуновение лёгкого ветерка. Фея подняла заплаканное личико... Что это? Перед ней в воздухе танцевало множество крошечных детишек в разноцветных колпачках. Все они весело улыбались фее одуванчика.

На её вопрос, кто они, малыши ответили:

— Мы, дети ветра, пришли помочь тебе!

— Правда? — радостно воскликнула маленькая фея. — Вы можете сделать так, чтобы мои семена разлетелись по лугам?

Смеясь, дети ветра закивали головками:

— Для этого нас и послал сюда наш отец, летний ветер. Не беспокойся, семена разлетятся дальше, чем ты можешь себе представить!

Успокоившись и поблагодарив детишек, маленькая фея стала смотреть, как они срывают зонтики

семян с головок одуванчиков и танцуют с ними в воздушных потоках. Они покачивались высоко в воздухе, а летний ветер уносил их всё дальше и дальше.

А когда дети ветра отпускали семена одуванчика, то они падали вниз на землю. Куда падало семечко, не имело значения. Главное, чтобы оно достигло земли.

Фея одуванчика была счастлива и вечером спокойно заснула в своей цветочной кроватке.

Вы тоже можете помочь маленькой фее. Это совсем не трудно. Сорвите пушистую головку одуванчика и подуйте на неё!

Маленькие семена-парашютики разлетятся во все стороны, упадут на землю и прорастут.

А весной на свет появится маленькое солнышко — цветок одуванчик, охраняемый своей феей.

ФЕЯ ЛЮТИКА

Фея лютика обрадовалась, что мальчик божья коровка разбудил её. Скоро должен был начаться Праздник луговых цветов. Его праздновали все цветы, а фея лютика проспала и совершенно забыла о празднике.

— Мне нужно торопиться! — воскликнула она. — Где моё праздничное платье? Где моя накидка? Я должна ещё что-то сделать с волосами. Праздник уже начинается! Скоро появится фея луговых цветов, а меня там не будет! Это ужасно! Что же мне делать?

— Всё будет в порядке! — успокоил её мальчик божья коровка. Мальчик сразу же позвал двух бабочек-пестрянок и сказал:

— Вы сядете на волосы феи лютика, и получится шляпка из бабочек. Вы, шмели, припудрите ей носик пыльцой! Ты, полевая мышка, принесёшь ей платье.

— А господин паук, — продолжил свои распоряжения мальчик, — если он будет так любезен, мгновенно сплетёт для феи лютика накидку! Не правда ли?

— Сплету, конечно, — согласился паук.

Все поторопились выполнить то, о чём попросил их мальчик божья коровка, потому что хотели помочь фее лютика, которая всегда была добра и дружелюбна. И только благодаря помощи своих друзей фея лютика вовремя успела на праздник.

Она смогла встретиться и с феей луговых цветов, которая пришла в восторг от шляпки из бабочек и прозрачной накидки. Фея от всей души похвалила фею лютика за выдумку.

Малышка покраснела от смущения и еле слышно прошептала:

— Я не заслужила эту похвалу! Хвалить нужно моих друзей, особенно мальчика божью коровку, который сидит на моём плече, изображая брошь. Он мой самый лучший друг.

А дружба, как известно, совершает чудеса!

ФЕЯ ВАСИЛЬКА

Фея василька мрачно посмотрела по сторонам. Пшеница росла так быстро, что полностью скрыла от неё всё поле. Стебли пшеницы стали высокими и толстыми, и фея чувствовала себя, как в ловушке. Раньше она могла понаблюдать за полётом жаворонков, могла поболтать с полевой мышью... Да и само поле просматривалось от края до края. Но так было, пока пшеница была совсем маленькой.

— Привет, фея василька! Ты поможешь мне сплести красивый венок? — окликнул её кто-то.

Фея удивлённо обернулась: перед ней стоял маленький эльф в золотисто-коричневом костюмчике. На голове у него был венок из пшеницы. Эльф рассмеялся озорным смехом, и фее ничего не оставалось, как тоже засмеяться.

— Я — эльф пшеницы и появляюсь только тогда, когда зреет пшеница. А потом всё лето я плету венки из пшеницы и любых цветов, которые могу найти на полях.

— Сегодня, — продолжал он, — я ищу ромашки и красные маки... А теперь вот нашёл тебя. Твои цветы будут великолепно смотреться в моём летнем венке. Ты согласна?

— Да, конечно! Начнём плести венок из цветов прямо сейчас, — воодушевилась фея василька.

Они вдвоём стали собирать цветы. А вскоре сплели чудесный венок из колосков пшеницы, ромашек, красных маков и, конечно же, из синих васильков. Эльф с гордостью посмотрел на готовый венок и сказал:

— Давай-ка подарим этот красивый венок огородному пугалу. Может быть, тогда оно станет выглядеть более дружелюбным?!

Эльф пшеницы подлетел к пугалу и надел на его соломенную голову замечательный венок.

Пугало и вправду стало выглядеть счастливым, потому что теперь на его плечах и руках безбоязненно сидели птицы и весело распевали песни.

Фея василька тоже повеселела. Всё лето она и эльф пшеницы плели красивые венки из полевых цветов и дарили их всем.

Делать приятное другим оказалось таким огромным счастьем!

ФЕЯ БАРВИНКА

Фея барвинка была большой мечтательницей. Она мечтала ночи и дни напролёт, летая над своими цветами и представляя себя то королевой цветов, то волшебницей...

Фея никому не причиняла вреда своими мечтами, если не считать её собственных цветов. Вот про них-то фея часто забывала и не заботилась так, как следовало бы. И её цветы начали терять лепестки, а вскоре пропали совсем.

Лишь только когда фея бадана, жившая по соседству, сказала, что цветы выглядят уж совсем жалкими, фея барвинка опомнилась.

— Куда исчезли мои любимые красивые цветочки? — воскликнула фея барвинка.

— А я тебе объясню, — проворчала фея бадана. — Ты не обращала внимания на подопечные растения, вот цветы больше и не цветут.

— Конечно, ты права, — расплакалась фея барвинка. — Я просто забросила мои цветы, потому что была занята своими мечтами!

— Мечтай! Но это не должно отражаться на твоих цветах! Ты должна всегда ухаживать за ними, — сказала фея бадана, строго глядя на фею барвинка.

Та залилась горючими слезами. Ей было очень-очень стыдно. Фея бадана пожалела её и сказала:

— Я помогу тебе! Мы сейчас же должны выкопать корни, подкормить их и полить. Потом нам останется только ждать.

Они сразу же принялись за работу. Фея барвинка работала так усердно, что у неё не осталось времени для фантазий.

А когда пришла осень, фея получила награду за свои труды. На длинных стеблях появилось множество крошечных голубых цветов. Фея барвинка была так счастлива!

— Фантазии не должны мешать делу, — решила она. — Ведь я в ответе за тех, кого мне доверили и кому нужна моя помощь!

ФЕЯ РОМАШКИ

На лугу тихонько покачивались белые ромашки. После ливня в небе вновь сияло солнце, и в его ярких лучах дождевые капельки сияли в траве, словно бриллианты.

Фея ромашки не разделяла веселья птиц и бабочек. Она с грустью смотрела на свои цветы, у которых были оборваны все лепестки.

Кто этот злодей, который оборвал их с цветочных головок? Маленькая фея ромашки терялась в догадках, не понимая, как можно было совершить такой нехороший поступок.

Она взяла у госпожи Паучихи нитки, чтобы пришить лепестки к жёлтым головкам. Это было совсем не просто. Фея занималась этим целый день, и к вечеру её глаза слезились от напряжения. Едва оказавшись в своей кроватке, фея ромашки провалилась в глубокий сон.

Когда маленькая фея проснулась, в небе уже вовсю сияло солнце. Она проворно соскочила с кровати, побежала к своим цветам и ахнула.

Все лепестки цветов были оборваны и снова лежали на траве.

— Нет! — зарыдала фея. — Только не это!

Но изменить уже ничего было нельзя: лепестки были разбросаны, а злодея и след простыл. Обливаясь слезами, маленькая фея опять пошла к госпоже Паучихе просить паутиновую нитку.

Затем фея ромашки принялась терпеливо пришивать лепестки к жёлтым цветочным головкам.

— Привет, фея ромашки! Ты опять за работой? — крикнули ей бабочки. — Терпения тебе не занимать! Но всё это совершенно напрасно!

— Это почему же? — не поверила фея своим ушам. — Неужели вы видели того злодея, который сотворил всё это безобразие?

— Злодея? Никакой он не злодей! — захихикали бабочки. — Это же эльф Боня!

— Что вы говорите! Боня? Наш добряк Боня? Неужели он способен на это?

Тут бабочки заговорили, перебивая друг друга:

— Эльф Боня влюбился, но не знает, любит ли его подружка! Теперь ты понимаешь?

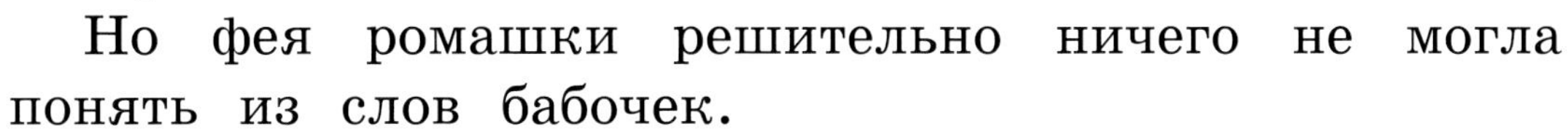

Но фея ромашки решительно ничего не могла понять из слов бабочек.

На следующее утро она поднялась очень рано и сразу же увидела Боню. Стоя возле ромашки, тот обрывал с неё лепестки, приговаривая:

— Любит, не любит, любит... Ура, конечно, она меня любит!

Наконец-то маленькая фея поняла, в чём дело. Эльф Боня, гадая на ромашке, пытался узнать, как к нему относится его любимая.

И фее ромашки ничего не оставалось, как смириться с тем, что у её цветов обрывают лепестки, когда хотят узнать: любит или не любит!

ФЕИ САДОВЫХ ЦВЕТОВ

— Как всё это мило! — воскликнула фея радуги. — Эти крошки феи так красивы, добры и трудолюбивы!

— Подожди, дорогая! Впереди ещё истории о феях садовых цветов. Эти истории не менее интересны и поучительны. У фей садовых цветов хлопот с их подопечными, пожалуй, побольше, чем у фей диких цветов: ведь садовые цветы — очень нежные и капризные. А с капризулями, как известно, хлопот не оберёшься! Вот и трудятся феи, чтобы их цветочки всегда были красивыми и здоровыми. Расскажи нам об этих феях и их цветах, милое зеркальце!

Снова заструился свет, послышалась волшебная музыка, и зеркало заговорило.

ФЕЯ ТЮЛЬПАНА

Ах, как скучно сегодня фее тюльпана! Она давно закончила свою работу. Все лепестки её цветов отполированы, высокие и прямые стебли красиво стоят на земле. Фея устроилась в чашечке тюльпана и стала лениво следить за парой пчёл, которые собирали пыльцу с нарциссов.

— Им никогда не бывает скучно, — размышляла вслух фея. — О, как бы мне хотелось быть пчелой! Тогда бы я могла весь день перелетать с цветка на цветок и каждый вечер возвращаться в улей. Как чудесна такая жизнь!

— Ты и вправду так думаешь? — раздался позади неё тихий голосок.

Фея тюльпана удивлённо обернулась и увидела пчёлку, которая грустно проговорила:

— Ты думаешь, что все пчёлы только перелетают с цветка на цветок и собирают пыльцу? Нет, мы ещё делаем воск и мёд, присматриваем за яйцами и кормим личинок. У нас никогда нет времени, чтобы отдыхать на лепестках. Каждый вечер

мы возвращаемся в свой улей, едва живые от усталости. Но и потом мы должны работать до глубокой ночи...

Фее тюльпана стало стыдно.

— А ведь я даже не представляла, что вам приходится так много работать! Если я могу чем-то помочь тебе, скажи мне! — смущённо предложила добрая малышка.

Пчела ненадолго задумалась, а потом сказала:

— Если бы ты наполнила свои тюльпаны водой, то мы могли бы отлично искупаться перед тем, как вернуться в улей. Купание так освежило бы нас! Ты могла бы это сделать?

Фея кивнула головкой и сразу же принялась за работу. Когда наступил вечер, она наполнила все свои тюльпаны прохладной водой. Прилетевшие пчёлы с радостью окунулись в воду, а потом, отдохнувшие, полетели в свои ульи. Перед отлётом они с чувством поблагодарили фею тюльпана за полученное удовольствие и кратковременный отдых.

А маленькая фея тюльпана вдруг обнаружила, что помогать другим — большая радость. Теперь-то ей больше никогда не будет скучно!

ФЕЯ ЛЮПИНА

Всё-таки какая же проказница, эта фея люпина! Фея радуги дала ей немного красной краски, и теперь озорница принялась за работу. Она решила всё и всех выкрасить в красный цвет!

— Это модно, — говорила она, как только кто-то начинал протестовать против такого безобразия, как, например, маленький лесной эльф Джус. Он спал под люпином, когда капля красной краски шлёпнулась на его голубую шапочку.

— Ты что себе позволяешь? — возмущённо закричал эльф. — Теперь моя шапочка испорчена!

Фея люпина весело рассмеялась и стремительно поднялась в воздух:

— На эльфе красная шапочка смотрится намного лучше голубой! И я не собираюсь стирать её!

— Это уже слишком! — сердито крикнул Джус и, вытащив из кармана верёвку, попытался набросить её на фею люпина как лассо.

Увы, ему не удалось поймать шалунью, зато его лассо поймало бабочку-пестрянку.

— Прости меня, я пытался поймать противную фею люпина, а не тебя, — расстроенно воскликнул эльф Джус. — Она всё и всех мажет красной краской! Она проделала это и со мной! И теперь у меня красная шапочка вместо голубой.

— О, а я бы так хотела иметь красные пятнышки на крылышках! Мне кажется, это было бы очень нарядно, — мечтательно произнесла бабочка-пестрянка.

— Ты говоришь правду? — подала голос фея люпина и подлетела к ним. — Наконец-то я нашла того, кто оценит моё искусство! Иди сюда, моя дорогая бабочка, и я нарисую красные пятнышки на твоих крылышках.

— А как же я? — сердито завопил Джус. — Мне что, так и ходить по лесу в красной шапке?

Ответа он не получил, потому что фея люпина была слишком занята тем, что рисовала красные пятнышки на крылышках бабочки.

— Как красиво! — воскликнула подлетевшая к ним другая бабочка-пестрянка.

И вскоре все бабочки-пестрянки выстроились в ряд перед феей люпина. Им всем хотелось заполучить красивые красные пятнышки на своих крылышках. И они их получили.

У остальных лесных жителей отлегло от сердца, потому что теперь маленькая фея люпина была занята и оставила их всех в покое.

Недолго огорчался и маленький лесной эльф Джус. Совершенно успокоившись, Джус теперь гордо разгуливает по лесу в красной шапочке. Ему кажется, что фея люпина была права: лесной эльф в красной шапочке выглядит намного лучше, чем в голубой.

Хотя, конечно, это уж — как кому нравится. А что думаете вы?

ФЕЯ ПОДСОЛНУХА

У ограды сада стояли высокие подсолнухи. Фея подсолнуха очень гордилась своими цветами. Её подсолнухи были нужны и людям, и животным, потому что их семечки восхитительны на вкус, очень питательны и полезны.

Но у маленькой феи был не слишком-то хороший характер. Она сердито прогоняла улиток, жуков и других насекомых, которые садились на её цветы. Только пчёлам и шмелям фея позволяла остаться. Иногда бабочка пыталась поболтать с ней, но у феи никогда не было для этого времени. В конце концов все перестали заглядывать к ней в гости. Даже другие феи цветов предпочитали держаться от неё подальше.

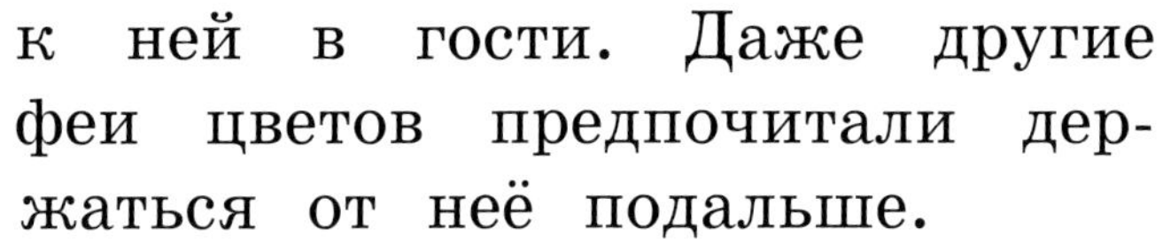

— Ну и пусть! Я обойдусь без них, — решила фея.

Однако уже через несколько часов она сильно пожалела о своём высокомерии.

Внезапно поднялся сильный ветер. Как же фея испугалась! Она отчаянно пыталась привязать к ограде высокие стебли своих подсолнухов, чтобы их не сломал ветер. Но буря не унималась. И тут сломался первый подсолнух. А когда фея увидела, как сломались ещё два её цветка, то расплакалась по-настоящему.

Вдруг фея увидела, что к ней сквозь бурю летит целый отряд цветочных фей. Они изо всех сил махали крылышками, сражаясь с ветром. И им удалось добраться до феи подсолнуха!

Не говоря ни слова, феи принялись подвязывать подсолнухи к ограде с помощью сплетённых стеблей травы и спасли их.

Когда буря отступила, фея подсолнуха поблагодарила своих помощниц и извинилась перед ними за своё неучтивое поведение.

Случившееся стало для неё хорошим уроком: ведь мы все нужны друг другу. И в хорошие времена, и в плохие...

ФЕЯ ГЕРАНИ

У феи герани было единственное желание: она хотела, чтобы её цветы благоухали так же, как розы. Но что бы она ни делала, она никак не могла добиться от герани чудесного аромата роз. И это огорчало фею герани.

Однажды она смотрела, как феи роз ухаживали за своими цветами. И вдруг её осенило:

— Сегодня вечером я тайком навещу фей роз. Может быть, мне удастся выяснить, как они готовят свой чудный аромат!

Наступила ночь. Все феи роз крепко спали, когда фея герани подлетела к кустам. Тихо, очень тихо она опустилась на лепесток розы...

Она изучила каждую розу, посмотрела на пыльцу, проверила, как она пахнет, но ничего особенного не увидела. Вот только от аромата у неё сильно закружилась голова. И тут наша фея упала в серединку цветка розы. Она лежала и не могла шевельнуться: сильный аромат розы совершенно одурманил её.

— Не нужно мне было прилетать сюда, — подумала она и заснула глубоким сном.

В этот миг проснулись все феи роз. Они-то и обнаружили спящую фею герани, вытащили её из цветка розы, отнесли домой и положили в постельку из герани.

Свежий воздух и аромат собственных цветов быстро привели фею герани в чувство. Она посмотрела на лица фей роз и смущённо рассказала им о том, что сделала.

— Но твои цветы и не должны пахнуть, как розы! — сказали ей феи роз. — У них свой, неповторимый запах, который подходит только им. Свежий, тонкий аромат! Именно так и должны пахнуть герани. Радуйся и люби их!

Да, теперь фея герани тоже так думала и искренне радовалась своим цветам.

Что ж, все учатся на своих ошибках. И фея герани не была исключением.

ФЕЯ АНЮТИНЫХ ГЛАЗОК

Виола, так звали фею анютиных глазок, восхищённо смотрела на белую розу, где в середине цветка сидела её крошечная фея. Виола никогда раньше не видела такого прелестного создания. Малышка в белом платье и с белыми волосами, казалось, излучала сияние.

— Ах, как бы мне хотелось подружиться с этой милой красавицей — феей белой розы! — подумала Виола. Она вздохнула и стала удалять пожухлые листья со своих растений.

Вдруг мимо пролетел большой толстый шмель.

— Привет! — окликнула его Виола. — Рада тебя видеть!

— Боюсь, радости мало, — проворчал тот. — Я собирал пыльцу с белых роз, когда огромный паук сказал, что укусит фею белой розы, если я не улечу. Вот я и улетел!

— Фея белой розы в опасности? — воскликнула Виола с тревогой. — Я должна немедленно лететь к ней на помощь!

И она полетела к белой розе. И вовремя! Позади маленькой испуганной феи белой розы возвышался огромный жирный паук.

Виола достала из своей сумочки несколько твёрдых цветочных семян и храбро швырнула их в скверного паука.

— Убирайся прочь! — крикнула она.

Паук зашипел, но не осмелился напасть на Виолу — для него она была слишком велика. Бормоча что-то себе под нос, паук уполз прочь.

Фея белой розы тут же успокоилась, обняла Виолу и прошептала:

— Спасибо, тебе, дорогая Виола! Я так рада, что ты прилетела мне на помощь! Хочешь быть моей подругой?

Конечно же, Виола хотела этого. С тех пор эти две феи были неразлучны, а их дружба и взаимовыручка стали примером для всех.

ФЕЯ ФИАЛКИ

В укромном уголке сада за большими камнями росла очень маленькая и очень скромная фиалка, которую лелеяла маленькая фея. Никто не приходил к фиалке, потому что никакого аромата у неё не было. Это сейчас душистые фиалки так прекрасно пахнут, а раньше ничего такого не было и в помине.

Маленькой фее фиалки, как и её цветку, было очень одиноко. Никто не навещал их: ни бабочки, ни пчёлы. Фея фиалки очень грустила, но не осмеливалась пойти к кому-нибудь сама. Один лишь ветер прилетал к ней и рассказывал, что творится на белом свете.

Однажды он сообщил фее фиалки, что королева роз даёт цветочный бал.

— Туда приглашены все цветы и их феи. И ты тоже можешь пойти на бал, — сказал ветер крошке фее.

— Я? Но я не могу идти на бал, — застенчиво пролепетала фея фиалки.

— Разумеется, можешь. Не вижу причин отказываться, — старался развеять все её сомнения ветер.

Но все уговоры были напрасны. Фея фиалки предпочла остаться дома за камнями.

Вздохнув, ветер отправился своей дорогой. Внезапно он придумал, как выманить фею фиалки на бал. Подхватив розовую накидку королевы роз, ветер отнёс её фее фиалки.

— О, — воскликнула маленькая фея фиалки, — какая красивая накидка и как она благоухает! Должно быть, это накидка самой королевы. Придётся мне пойти на бал цветов, чтобы вернуть её королеве роз.

Аккуратно сложив накидку, взволнованная фея фиалки отправилась на бал. Королева роз тотчас заметила фею фиалки со своей накидкой. Обрадовавшись тому, что накидка нашлась, королева пообещала фее фиалки выполнить любое её желание.

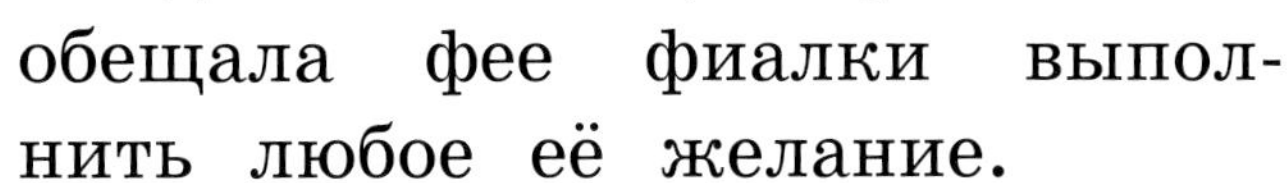

— Дорогая королева! Я и так вполне счастлива, — прошептала фея фиалки.

— Может, ты хочешь, чтобы твой цветок вырос повыше и все вокруг начали его замечать? — предложила королева роз.

Но фея фиалки ответила, что она вполне довольна ростом своего цветка.

— Может быть, ты мечтаешь источать такой же прекрасный аромат, как я? — допытывалась королева, поскольку твёрдо вознамерилась сделать что-нибудь хорошее для очаровательной маленькой феи и её цветка.

— Но это же невозможно: ведь мой цветок — всего-навсего обычная фиалка, а ты роза — королева цветов! — ответила фея фиалки

— Конечно, запах будет не совсем такой, как у меня, но тоже прекрасный. Хочешь? — уточнила королева роз.

Разумеется, фея фиалки хотела благоухать столь же изысканно! И королева роз подарила ей поистине волшебный аромат.

С тех пор ни одна бабочка, пчела или шмель не могут пролететь мимо душистой фиалки. Все они с удовольствием заглядывают в гости. А фиалка и её маленькая фея всегда рады гостям.

ФЕЯ МАКА

— Другие цветы прекрасно пахнут, или долго цветут, или могут гордиться разноцветными лепестками. А чем могу гордиться я? — вздыхала фея мака. — Мой цветок просто красный, и цветёт всего лишь день. Самый обычный цветок!

Маленькая фея так погрузилась в переживания, что совсем перестала замечать красоту летнего дня. И напрасно.

Мотылёк, подлетевший к ней, заметил:

— Почему ты такая мрачная? В такой прекрасный летний денёк нужно радоваться жизни!

— Ах, — печально промолвила фея мака, — как мне хочется быть феей розы или фиалки!

— Зачем тебе это? — удивился мотылёк.

— Их цветы живут гораздо дольше, чем мои, — ответила фея мака.

— Верно! Но взгляни на меня. Я тоже живу лишь один день! Но я наслаждаюсь этим днём сполна, и, поверь, он для меня прекрасен. То же чувствуют и твои цветы, — сказал мотылёк.

— Ах, мне так тебя жаль! Получается, что и ты живёшь недолго! Неужели тебе не хочется быть бабочкой или пчелой? — спросила маленькая фея мака у мотылька.

— Совершенно не хочется! Я вполне доволен тем, что у меня есть. Посмотри на себя! У тебя тоже есть всё необходимое, чтобы всегда чувствовать себя счастливой, — убеждал мотылёк маленькую фею мака.

Удивлённая фея мака недоверчиво посмотрела на мотылька:

— Правда? И что же это?

— Твои семена-зёрнышки очень вкусные. С ними пекут маковые рулеты и булочки. Разве ты не знала об этом?

— Нет, — удивилась фея мака. — Стало быть, мои цветы приносят пользу?

Мотылёк кивнул и весело засмеялся:

— Теперь ты довольна собой?

— Да, теперь я довольна и хочу остаться самой собой, — засмеялась в ответ фея мака и рассыпала вокруг себя маковые зёрнышки...

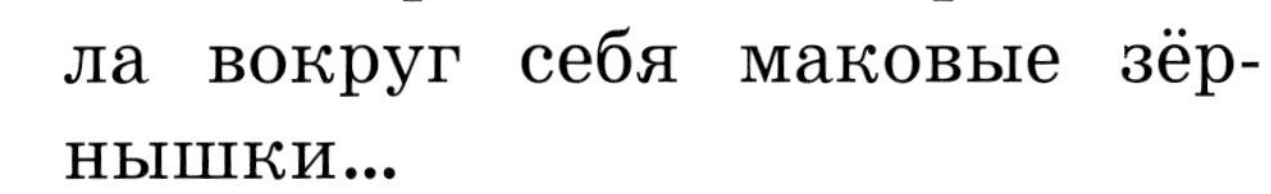

Ей стало даже немного стыдно за своё нытьё.

Фея мака хорошенько подумала и вдруг поняла, что у каждого есть то, чем он вполне может гордиться. Главное — нужно только вовремя понять это и никогда никому не завидовать!

ФЕЯ ВОДОСБОРА

Цветы водосбора жили в самом тёмном уголке сада, куда редко заглядывало солнце. Бабочки и пчёлы тоже нечасто их навещали. Но зато каждый день к ним приходил господин Квак — крупная садовая жаба. Часами, не мигая, он смотрел на красивую фею водосбора. И ей это совсем не нравилось.

— Убирайся прочь! — кричала она.

Однако это не помогало: господин Квак оставался на своём месте. Только вечером он уползал прочь. Фея облегчённо вздыхала и отправлялась спать.

Но на другое утро господин Квак снова возвращался, усаживался рядом с феей водосбора и смотрел на неё своими холодными глазами.

Так продолжалось изо дня в день. От постоянного страха маленькой фее больше совсем не хотелось ухаживать за своими цветами.

И настал день, когда на водосборе не осталось ни одного цветка. В конце концов фея бессильно сложила крылышки и расплакалась. Тогда господин Квак поднялся и хриплым голосом сказал:

— Не плачь! Я знаю, что кажусь тебе уродливым, зато я люблю тебя всей душой! Ты часто прогоняешь меня, но я не могу уйти. Ведь ты не знаешь, что ядовитый паук свил свою паутину позади тебя! Но я за ним наблюдаю, и паук не осмеливается выглядывать, так как я его тут же проглочу. И смотрю я не на тебя, а на этого огромного паука за твоей спиной.

Тронутая до глубины души, фея водосбора крепко обняла господина Квака. С лёгким сердцем она снова принялась за свою работу. Фея трудилась с таким усердием, что уже через неделю на водосборе проклюнулся первый цветок.

Маленькая фея была очень счастлива. А старый господин Квак по-прежнему приходил к ней каждый день, оберегая её от врагов.

Правду говорят: на свете нет ничего лучше доброго верного друга!

ФЕЯ МУСКАРИ

— Ты ещё слишком мала, чтобы заботиться о растениях, — сказала фея природы крошечной цветочной фее. Эта фея родилась совсем недавно и была так мала, что ей пока не доверили ни одного цветка.

— Хотя, — фея природы задумалась, — есть один очаровательный маленький цветок как раз для тебя. Это мышиный гиацинт, или мускари. Спускайся-ка поскорее на землю!

С этими словами она посадила маленькую фею на радугу и слегка подтолкнула. И маленькая фея заскользила вниз. Она приземлилась как раз среди цветущих мускари, которые росли под берёзой.

Её сразу же приветствовали феи тюльпанов и нарциссов. Все они были намного крупнее нашей крошечной феи.

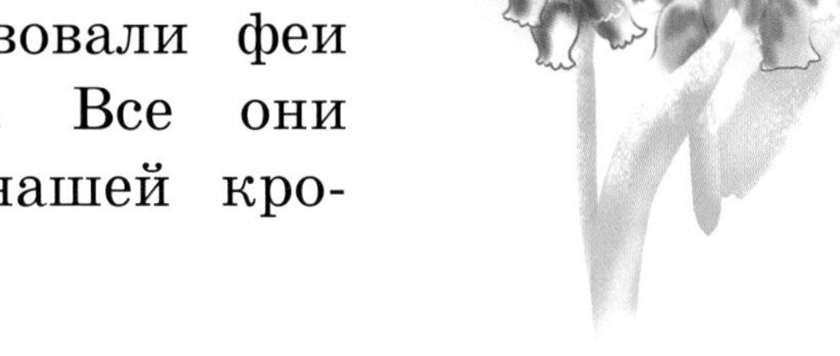

«Ах, какие же они большие, и их цветы тоже! А мои цветочки такие маленькие, что их почти не видно», — с грустью подумала маленькая фея. Конечно, мышиные гиацинты — её цветочки — были не менее красивыми, их любили шмели и пчёлы. Но маленькой фее совсем не хотелось заботиться о таких крошечных цветах. Она пробралась сквозь них и уселась на старый лист.

Мимо ползла маленькая божья коровка.

— Привет! — окликнула её наша фея. — Ты очень мила!

Испуганная божья коровка прошептала:

— Ох, какая же ты большая! Пожалуйста, не обижай меня!

— Ну что ты! — ответила ей маленькая фея. — Я и не думаю обижать тебя! И совсем я не большая, а даже очень маленькая.

— Для меня ты достаточно велика. Просто гигант! А я сама кажусь огромной муравьям! Все зависит от того, как на это посмотреть, — ответила божья коровка и улетела прочь.

Маленькая фея задумалась и поняла, что та была права: всё зависит от точки зрения смотрящего. Почувствовав вдруг огромную радость, маленькая фея громко крикнула:

— Отныне я — фея маленьких мускари!

ФЕЯ КИТАЙСКОГО ФОНАРИКА

Фея физалиса или, как его чаще называют, китайского фонарика пришла в восторг, когда услышала от птиц, что принц осени пожалует на осенний бал. Бал должен был состояться на следующий день вечером.

Фее очень нравился принц. Впервые она увидела его год назад, когда он раскрашивал листья деревьев и кустов красивыми осенними красками. Он был так красив! Как хотелось фее понравиться принцу и потанцевать с ним! Но она понимала, что на балу будет много других цветочных фей, и все они намного красивее её. Например, фея астры с её яркими юбками. Или фея осеннего крокуса...

Как же заставить принца заметить её при такой конкуренции?

— Я подарю ему мой самый большой и красивый

китайский фонарик! — воскликнула фея и отправилась искать самый лучший среди своих цветов.

И тут фея услышала лёгкое покашливание. Она удивлённо посмотрела вниз. На листе сидел крошечный светлячок и держал в своих лапках маленький фонарик.

— Видишь ли, — сказал светлячок, — я бы тоже хотел пойти на осенний бал. Не пойти ли нам на бал вместе? Я могу влезть в один из твоих фонариков, и тогда он будет светиться. Это будет волшебное зрелище!

— Да, представляю себе принца осени, когда он получит такой необыкновенный подарок! Разумеется, ты можешь пойти вместе со мной на бал, — воскликнула фея.

Принц осени был в восторге от подарка феи китайского фонарика. Он и в самом деле никогда не видел такого чуда. Они танцевали вместе всю ночь напролёт под его мигающим светом. И все были счастливы...

ФЕЯ АСТРЫ

— На осеннем балу я должна быть самой красивой, — решила маленькая фея астры. Осень пригласила всех, кто рос или цвёл в это время года, на грандиозный праздник, который она устраивала каждый год: ведь осень всегда щедра на подарки!

Фея астры посмотрела на свою сиреневую юбочку. Это был её повседневный наряд, но она не была уверена, что этот наряд подойдёт для бала. Так как же поступить?

И фея решила спросить об этом у солнца.

Солнце посмеялось и ответило:

— Поверь, мне по душе все цвета, поэтому мне всё равно! Посоветуйся с ветром!

Но у ветра даже не нашлось времени, чтобы поговорить с феей астры.

— Тогда я спрошу у дождя, — совсем расстроилась маленькая фея.

— Я не разбираюсь ни в цветах, ни в моде, — простучал дождь. — Спроси лучше радугу!

Когда на небе появилась радуга, она так ответила фее астры:

— Надень и красную юбку, и синюю тоже. А поверх ещё белую. Это будет прекрасно!

Маленькая фея всё же решила, что надевать одну юбку поверх другой — довольно странная затея. Нахмурившись, она уселась на зелёный лист и совсем загрустила.

Мимо полз дождевой червяк. Увидев маленькую фею, он удивился и спросил:

— Ты идёшь на осенний бал? Он уже начался!

— Хорошо тебе говорить, — вздохнула фея. — Тебе совсем не нужно беспокоиться о том, что надеть на праздничный бал!

— Верно, — рассмеялся дождевой червяк. — Мне уж точно не надо об этом беспокоиться. А что заботит тебя?

— Я не знаю, что мне надеть на бал: ведь мне хочется быть красивее всех!

— Но это несложно! Иди на бал в том, что сейчас на тебе. Оставайся сама собой, и ты будешь самой красивой. Красота не в одежде, а в душе. Уж мне-то можешь поверить! — посоветовал ей дождевой червяк.

Маленькая фея согласилась с этим утверждением и пошла на бал в своём повседневном наряде.

И знаете, кого на балу чаще других приглашали на танец? Совершенно верно! Маленькую фею астры!

ЗАКЛЮЧЕНИЕ

— Спасибо тебе, дорогая фея природы! — сказала фея радуги. — Мне было очень интересно, да и время прошло незаметно. Дождь уже кончается, выглянуло солнце... А это значит, что наступила моя пора украсить небо своей радугой.

— До свидания! По правде говоря, и мне уже давно пора приниматься за работу.

Закрыв дверь за своей подругой, фея природы принялась навёрстывать упущенное. Глядя в зеркало, она тщательно проверяла, всё ли ладно в Волшебной стране.

Только когда солнце ушло за горизонт, фея природы перевела дух и отошла от своего волшебного зеркала.

Ну вот и ещё один день закончился! Зеркало показало, что всё в Волшебной стране более или менее в порядке. Растения цветут и благоухают. Феи трудолюбивы, счастливы и веселы... Эльфы особенно не озорничают и по мере сил помогают феям... Теперь можно немного отдохнуть!

Фея природы улыбнулась и посмотрела в окно. Ночь уже опустила на Волшебную страну своё чёрное бархатное покрывало, расшитое золотыми звёздами. Ветер наполнил страну прохладой и ароматом ночных цветов...

Полюбовавшись на эту красоту, фея природы отправилась в свою спальню. Пора спать!

СОДЕРЖАНИЕ

Литературно-художественное издание
Для младшего школьного возраста

әдеби-көркемдік баспа
мектеп жасындағы кіші балаларға арналған

ПРИКЛЮЧЕНИЯ ЦВЕТОЧНЫХ ФЕЙ
(орыс тілінде)

Пересказ *Ирины Котовской*
Художник *Сона Адалян*

Художественный редактор *И. Сауков*
Дизайн переплета *В. Безкровный*
Корректор *Е. Холявченко*

В оформлении обложки использована фотография:
Potapov Alexander / Shutterstock.com
Используется по лицензии от Shutterstock.com

ООО «Издательство «Эксмо»
123308, Москва, ул. Зорге, д. 1. Тел. 8 (495) 411-68-86, 8 (495) 956-39-21.
Home page: **www.eksmo.ru** E-mail: **info@eksmo.ru**

Өндіруші: «ЭКСМО» АҚБ Баспасы, 123308, Мәскеу, Ресей, Зорге көшесі, 1 үй.
Тел. 8 (495) 411-68-86, 8 (495) 956-39-21
Home page: www.eksmo.ru E-mail: info@eksmo.ru.
Тауар белгісі: «Эксмо»
Қазақстан Республикасында дистрибьютор және өнім бойынша
арыз-талаптарды қабылдаушының
өкілі «РДЦ-Алматы» ЖШС, Алматы қ., Домбровский көш., 3«а», литер Б, офис 1.
Тел.: 8 (727) 2 51 59 89,90,91,92, факс: 8 (727) 251 58 12 вн. 107; E-mail: RDC-Almaty@eksmo.kz
Өнімнің жарамдылық мерзімі шектелмеген.
Сертификация туралы ақпарат сайтта: www.eksmo.ru/certification

Сведения о подтверждении соответствия издания согласно законодательству РФ
о техническом регулировании можно получить по адресу: http://eksmo.ru/certification/

Өндірген мемлекет: Ресей
Сертификация қарастырылған

Подписано в печать 13.10.2015. Формат 84х108 1/16.
Печать офсетная. Усл. печ. л. 9,24.
Тираж 5000 экз. Заказ 3931/15.

Отпечатано в соответствии с предоставленными материалами
в ООО «ИПК Парето-Принт», 170546, Тверская область,
Промышленная зона Боровлево-1, комплекс №3А, www.pareto-print.ru

ISBN 978-5-699-77838-6